图书在版编目（CIP）数据

最好的面包店 / 张越著. -- 北京：北京联合出版
公司, 2022.8（2022.11重印）

ISBN 978-7-5596-6323-8

Ⅰ.①最… Ⅱ.①张… Ⅲ.①儿童故事－图画故事－
中国－当代 Ⅳ.①I287.8

中国版本图书馆CIP数据核字（2022）第113399号

本书中文简体版权归银杏树下（北京）图书有限责任公司

最好的面包店

著　者：张　越
选题策划：北京浪花朵朵文化传播有限公司
出 品 人：赵红仕
出版统筹：吴兴元
特约编辑：罗雨晴
责任编辑：王　巍
营销推广：ONEBOOK
装帧制造：墨白空间·闫献龙

北京联合出版公司出版
（北京市西城区德外大街 83 号 9 层　100088）
河北中科印刷科技发展有限公司印刷　新华书店经销
字数30千字　889毫米×1092毫米　1/16　3.25印张
2022年8月第1版　2022年11月第5次印刷
ISBN 978-7-5596-6323-8
定价：56.00 元

读者服务：reader@hinabook.com 188-1142-1266
投稿服务：onebook@hinabook.com 133-6631-2326
直销服务：buy@hinabook.com 133-6657-3072
官方微博：@浪花朵朵童书

浪花朵朵

最好的面包店

张越 著

好吃街上住着一只小白兔。
小白兔会自己种最好吃的红苹果，自己煮最可口的蘑菇汤。
小白兔爱一切美味的食物，
没有谁比小白兔更懂得享受美味。

 北京联合出版公司
Beijing United Publishing Co.,Ltd.

这一天，苹果还没熟透，蘑菇也吃完了，小白兔决定去街上寻找新的美味。

小白兔嘴刁得很，不愿为一般的食物停下脚步。

于是她走着走着，很快就走到了天黑。

很晚很晚了，小白兔饿得不行了，
这时，她闻到一股浓厚的香气，
这香气来自一家从未见过的流动面包店。
小白兔深深吸了一口气，
打算进去试试。

小白兔抬头一看，吓得大叫起来，
香香的面包店里居然坐着一头狼！
狼长着大大的嘴巴和幽幽的眼睛，看起来可怕极了。

"呃，你想尝尝吗？刚烤好的最好的面包。"
小白兔本想撒腿就跑，但听到狼先生说是"最好"的面包，
还是忍不住走到了柜台前。

小白兔接过面包，闻了闻，用手指轻轻一压：咔滋咔滋！

小白兔张嘴咬下去，吞下满口麦香。

小白兔不由得赞叹道："这真是我吃过的最好的面包！"
狼先生的脸上满是得意："这当然是最好的，我就喜欢最好的。"

小白兔吃了一个又一个，每种面包都有不同的美味，
虽然她害怕狼，但太喜欢狼先生的面包了。
她忍不住想：如果我也能做出这样的面包该多好。

"您喜欢吃兔子吗？"小白兔壮着胆子问。
狼先生皱了皱眉头，不耐烦地回答：
"我才不吃呢，兔子哪有我的面包好吃啊！"

小白兔这才下定决心说：

"那……我可以留在这里当学徒，帮你做最好的面包吗？"

狼先生看起来不是很愿意。

"我会送你最好的苹果和蘑菇，还能帮你打扫面包店！"小白兔又提议。

狼先生觉得自己不用打扫面包店，就有更多时间做面包，

便说："那好吧。"

于是，每天清晨，
在狼先生开店之前，
小白兔就到店里来帮忙。

但小白兔还是很担心，
和狼一起做面包，
对兔子来说太危险了。
小白兔常常一整天都不敢说话。

小白兔学狼先生搅拌面粉，却总把面粉搅得到处都是。
狼先生有点不高兴了。

小白兔学狼先生揉面团，却总把面团揉得硬邦邦的。
狼先生忍住没生气。

小白兔学狼先生烤面包，却总把面包烤糊。
狼先生咬了一口，他最受不了难吃的食物，生气地说：
"这真是最难吃的面包！"

小白兔更害怕了，不小心把狼先生的厨房弄得一团糟。

这下，狼先生终于失去了耐心，大吼：

"把这里收拾干净，下楼看店。明天别来了！"

小白兔仔细把厨房打扫干净，
下楼来，趁狼先生不在，
又开始练习做面包。

森林白胖子

宝石面包

传统法棍

狼先生看到小白兔揉面团，
有些不知所措。

狼先生在厨房里转悠了好多圈，越想越难过：
原来小白兔真的很喜欢我做的面包。

他决定收回刚才糟糕的气话，
为小白兔烤一个面包。

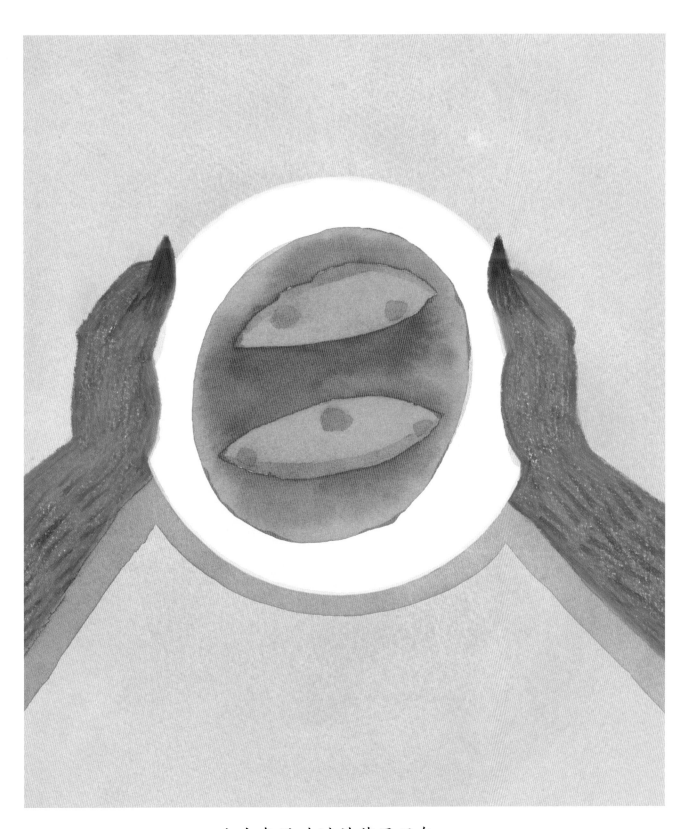

小白兔没吃过的苹果面包。

狼先生下楼，把刚烤好的苹果面包递给小白兔。

小白兔有些犹豫，但还是接过面包。

苹果面包发出清脆的声音：**咔滋咔滋**！

"好吃吗？"

"嗯！"

"想学吗？"

"……想！"

狼先生不再对小白兔大吼大叫，
开始手把手地教小白兔揉面团、烤面包。

"咔滋响的面包只是一般好的面包，
咔滋咔滋响的面包才是最好的面包。"
小白兔离狼先生越来越近，他们讲的话也越来越多。

有一天，小白兔可以自己搅拌面粉了。

又有一天，小白兔可以自己揉好面团了。

终于有一天，小白兔烤出咔滋咔滋响的面包了。

狼先生咬了一口，眼睛发出了光："这就是最好的面包。"

小白兔开心极了："你就是最好的师傅！"

最好的面包

烤出咔滋咔滋面包后的第二天，小白兔没有按时来店里帮忙。

狼先生觉得很奇怪，忍不住走出店张望。

手工山形吐司

狼先生搅拌面粉时不需要再做一遍给小白兔看了。

狼先生揉面团时也不需要收拾小白兔打翻的牛奶了。

狼先生把面包从烤箱里拿出来时，再也看不到小白兔惊喜的表情了。

狼先生忽然感到了寂寞。

太阳快下山了，
狼先生听到门口传来很多脚步声。

"就是这里！就是这里！"
小白兔带来了好多朋友。

原来小白兔在家里做了好多面包，送给街上的朋友品尝，
无论谁吃了咔滋咔滋面包，都不得不承认，这是最好的面包。
小白兔很得意："这算什么呀，我师傅会做各种各样最好的面包哩。"

于是，大家跟着小白兔来到了面包店，
狼先生又惊又喜。

"请问这是什么面包?"
"这是最好的苹果面包。"

"请问这是什么做的?"
"用最好的苹果和麦粉做的。"

大家问了好多问题，买了好多面包，
店里到处都是咔滋咔滋的声音。
狼先生一直都笑嘻嘻的。

面包很快卖完了，
店里又只剩下小白兔和狼先生。
他们喝着热茶，
一起分享最后一块苹果面包。

"狼先生会做蛋糕吗？"
小白兔自信地说，"我可以帮你做最好的蛋糕。"

"一起做最好的。"

作者简介

张越，95后，出生于广东省沿海的汕头市。从小喜欢画画，画完送给喜欢的小女生。书桌旁边有一只呼呼大睡的胖花猫。喜欢超现实的有想象力的作品，喜欢陈志勇和吉竹伸介。2020年夏天，从中央美术学院绘本创作工作室毕业，绘本《春福》获优秀毕业作品一等奖。

创作手记

你喜欢面包吗？我喜欢面包。

面包对我来说不是陌生的食物，我妈妈从很久以前就开始做面包给家人吃了。因为我爸有高血糖，所以她做的面包从不放糖，也很少放油，就做成了"最难吃"的面包。那些面包虽然没什么味道，我却吃不腻，从小学一直吃到上大学……妈妈做的面包是我童年记忆中最柔软的一部分。

之前画《春福》的时候就在想，面包店的大白兔为什么会开面包店呢？也许是从"凶神恶煞"的狼那里学来的呢。狼教给小白兔最好的手艺，小白兔带给面包店从未有过的生气，我喜欢这种对比，在看似绝对不能共存的事物之间，找到一种可能的温柔与和谐。

画狼先生的时候，总想画出他粗犷的外表下所隐藏的温柔，喜欢他对自己手艺的自信，所以我也开始做面包，到现在能做给家人吃了，但还要努力，要做得像狼先生的面包一样好吃。